Padre Antonio Maria

Mater Dei
Mãe de Deus e da Humanidade

EDITORA
SANTUÁRIO

DIREÇÃO EDITORIAL: Pe. Fábio Evaristo Resende Silva, C.Ss.R.
COORDENAÇÃO EDITORIAL: Ana Lúcia de Castro Leite
COPIDESQUE: Ana Lúcia de Castro Leite
REVISÃO: Luana Galvão
DIAGRAMAÇÃO E CAPA: Mauricio Pereira
FOTO DE CAPA: Rodolfo Magalhães

Dados Internacionais de Catalogação na Publicação (CIP)
(Câmara Brasileira do Livro, SP, Brasil)

Maria, Antonio
　　Mater Dei: Mãe de Deus e da humanidade / Pe. Antonio Maria. – Aparecida, SP: Editora Santuário, 2015.

　　ISBN 978-85-369-0389-7

　　1. Maria, Virgem, Santa – Títulos 2. Maria, Virgem, Santa – Devoção I. Título.

15-06918　　　　　　　　　　　　　　　　　　　　CDD-232.91

Índices para catálogo sistemático:

1. Maria, Mãe de Deus: Devoção: Cristianismo 232.91

2ª impressão

Todos os direitos reservados à **EDITORA SANTUÁRIO** – 2015

Composição, CTcP, impressão e acabamento:
Editora Santuário - Rua Pe. Claro Monteiro, 342
12570-000 – Aparecida-SP – Tel. (12) 3104-2000

APRESENTAÇÃO

Quando fui convidado para escrever um livro sobre a Mãe de Deus e da humanidade, dois sentimentos invadiram minha alma: alegria e preocupação. Alegria, porque eu poderia falar de uma pessoa a quem quero muito bem, e preocupação, porque sei de minhas limitações literárias, teológicas, temporais, no sentido de falta de tempo mesmo.

Pedi então à Mãe Aparecida que falasse ao meu coração o que Ela disse ao índio São João Diego, no México, quando lhe apareceu como Senhora de Guadalupe: "Por que te preocupas, não estou eu aqui, que sou tua Mãe?" Confiando na proteção maternal de Maria, minha mãe, disse sim, e aqui estou eu falando dela, a *Mater Dei*, a Mãe da Humanidade.

Em minha caminhada espiritual e sacerdotal, Deus me deu dois pais muito especiais: São Vicente Pallotti e o Servo de Deus Padre José Kentenich. Deles herdei sobretudo o amor a Maria. São Vicente Pallotti falava dela como "la mia piu che innamoratissima Madre Maria" (minha mais que enamoradíssima mãe Maria) e viveu numa profunda intimidade espiritual com ela.

Pe. Kentenich dizia: "Tudo o que sou e tenho devo à Mãe Santíssima. É como se ela fosse uma segunda natureza em mim".

Quando menino, em um mês de maio, Nossa Senhora, sob o título de Mãe e Rainha Três Vezes Admirável, visitou minha casa, ficando lá uma noite e um dia. Voltando eu da escola primária, deparei-me com a "mãezinha do céu" em nossa sala, num altarzinho enfeitado por minha mãe e minha irmã, com margaridas e lamparinas coloridas. Mamãe preparava o almoço. Estando sozinho na sala, senti vontade de me ajoelhar diante do quadro de Nossa Senhora. Olhei para ela. Era linda! Muito linda! Senti que ela me olhava com carinho.

A estampa da Mãe Admirável tem esse particular. O pintor italiano Luigi Crosio, que a pintou no final do século XIX, foi muito feliz em sua arte, pintou os olhos de Nossa Senhora de tal modo, que eles estão sempre nos olhando, com muita ternura, em qualquer posição em que estivermos. Eu era um menino e aqueles olhos impressionaram-me muito. Levantei-me e me dei conta de que ela não deixava de me olhar nos olhos. Concluí, cheio de alegria infantil: a Mãezinha do céu gosta de mim! Nunca mais esqueci aquele momento. Meu amor a Ela nasceu naquela manhã de maio, na sala de minha casa. Nunca duvidei do amor dessa Mãe por mim. Sua presença em minha vida foi e continua sendo, depois de Jesus, o maior presente que recebi de Deus.

O papa Francisco, falando dela na *"Evangelii Gaudium"*, diz: "Maria é aquela que sabe transformar um curral de animais na casa de Jesus, com uns pobres paninhos e uma montanha de ternura. É a amiga sempre solícita para que não falte o vinho em nossa vida. É aquela que tem o coração transpassado pela espada, que compreende todas as penas. Como Mãe de todos, é sinal de esperança para os povos que sofrem as dores do parto até que germine a justiça. Ela é a missionária que se aproxima de nós, para nos acompanhar ao longo da vida, abrindo corações à fé com seu afeto materno. Como uma verdadeira mãe, caminha conosco, luta conosco e aproxima-nos incessantemente do amor de Deus".

Ela foi e continua sendo minha educadora. Ninguém sabe mais de Jesus do que Ela. Quero seguir sempre o conselho que nos deu Bento XVI, em Aparecida, na Conferência dos bispos da América Latina e Caribe: "Permanecei na escola de Maria!" Em minha vida experimentei, de verdade, que é Ela a indicadora do caminho, que é Ela a que me aponta Jesus, que me pede para fazer o que Ele diz, que reclama de mim um compromisso maior com ele, na vida do dia a dia. É Ela também que me leva aos irmãos e pede que os ame de verdade para ser verdadeiro discípulo de seu Filho, Jesus. Por tudo isso é que, nos meus quase 40 anos de padre, procurei levar Maria ao povo.

Um dia alguém me perguntou: "Padre, o senhor sempre diz que gosta muito de Maria. O senhor gosta ou ama?"

"Eu a amo gostosamente. Dá gosto amar Maria! E sabe qual é a maior razão desse meu amor a Ela? É que Jesus a ama também. E 'se até meu inimigo devo amar com tanto amor, como não amar aquela que me trouxe o salvador?' Foi aí que nasceu a canção: Por que amo Maria?"

Que ela faça que este livro leve muitos de meus irmãos e irmãs a um encontro com Ela, e que nesse encontro, vislumbrando seus olhos maternos, tão cheios de ternura, possam sentir profundamente essa verdade: a mãezinha do céu gosta de mim.

Pe. Antonio Maria

...Maria, cheia de graça! O Senhor é convosco. Bendita sois vós entre as mulheres e Bendito é o fruto do vosso ventre, Jesus. Santa Maria, Mãe de Deus, rogai por nós pecadores agora e na hora de nossa morte. Amém. Ave Maria, cheia de graça! O Senhor é convosco. Bendita sois vós entre as mulheres e Bendito é o fruto do vosso ventre, Jesus. Santa Maria, Mãe de Deus, rogai por nós pecadores agora e na hora de nossa morte. Amém. Ave Maria, cheia de graça! O Senhor é convosco. Bendita sois vós entre as mulheres e Bendito é o fruto do vosso ventre. Santa Maria, Mãe de Deus, rogai por nós pecadores agora e na hora de nossa morte. Amém. Ave Maria, cheia de graça! O Senhor é convosco. Bendita sois vós entre as mulheres e Bendito é o fruto do vosso ventre, Jesus. Santa Maria, Mãe de Deus, rogai por nós pecadores agora e na hora de nossa morte. Amém. Ave Maria, cheia de graça! O Senhor é convosco. Bendita sois vós entre as mulheres e Bendito é o fruto do vosso ventre, Jesus. Santa Maria, Mãe de Deus, rogai por nós pecadores agora e na hora de nossa morte. Amém. Ave Maria, cheia de graça! O Senhor é convosco. Bendita sois vós entre as mulheres e Bendito...

*Primeira
Parte*

MARIA, MÃE DE DEUS

e Maria, cheia de graça! O Senhor é convosco. Bendi
sois vós entre as mulheres e Bendito é o fruto do vo
ventre. Jesus. Santa Maria, Mãe de Deus, rogai p
pecadores agora e na hora de nossa morte. Amém. A
aria, cheia de graça! O Senhor é convosco. Bendita so
entre as mulheres e Bendito é o fruto do vosso vent
sus. Santa Maria, Mãe de Deus, rogai por nós pec
es agora e na hora de nossa morte. Amém. Ave Mar
ia de graça! O Senhor é convosco. Bendita sois vós e
as mulheres e Bendito é o fruto do vosso ventre. J
. Santa Maria, Mãe de Deus, rogai por nós pecador
ra e na hora de nossa morte. Amém. Ave Maria, che
graça! O Senhor é convosco. Bendita sois vós entre
lheres e Bendito é o fruto do vosso ventre. Jesus. San
aria, Mãe de Deus, rogai por nós pecadores agora e
a de nossa morte. Amém. Ave Maria, cheia de graça!
nhor é convosco. Bendita sois vós entre as mulheres
ndito é o fruto do vosso ventre. Jesus. Santa Mar
ãe de Deus, rogai por nós pecadores agora e na hora
sa morte. Amém. Ave Maria, cheia de graça! O Senhe
nvosco. Bendita sois vós entre as mulheres e Bendito

1

MARIA:
MÃE DE CRISTO, DEUS E HOMEM

Um coração carregado de amor sabe dizer a palavra certa na hora certa, como as palavras de Maria: "Eis aqui a serva do Senhor!"

As primeiras páginas do Evangelho de São Lucas descortinam diante de nós o mistério inefável do amor de Deus por nós. Chegada a "plenitude dos tempos", lembra-nos o apóstolo Paulo, o Pai, em seu desígnio benevolente, enviou-nos seu único Filho: "Quando chegou a plenitude dos tempos, Deus enviou seu Filho, nascido de uma mulher, nascido sujeito à Lei, para libertar os que estavam sujeitos à Lei, a fim de que nos tornássemos filhos adotivos" (Gl 4,4-5).

Imaginemos, se é que somos capazes de imaginar, o grande sentido e significado para nossa vida de o *Pai nos oferecer seu Filho único*! Seríamos capazes de imaginar a imensidão dessa oferta de amor? Humanamente, somos pequenos demais e, mesmo que tenhamos bom coração e bons sentimentos, é impossível para nós adentrarmos completamente tamanho mistério. Mistério, não porque não conhecemos, mas sim porque não somos capazes de penetrar inteiramente em tão grande dádiva divina.

É iniciativa do Pai – de seu amor infinito – dar-nos seu Filho único.

Deus podia ter escolhido outro modo de nos oferecer, por amor, o Verbo eterno. Ele é onipotente. Tudo pode. Mas o Pai quis nos enviar seu Filho, de um jeito mais simples possível, como cada um de nós veio ao mundo. Isso se chama *proximidade ao extremo com nossa humanidade*.

Julgo que há outro ponto importante para nós: como pode um Deus fazer-se humano, assumindo nossa natureza, frágil natureza? Não há uma resposta, senão a do *amor infinito* que o Senhor depositou em nós. Santo Afonso Maria de Ligório, vislumbrando o presépio e o calvário, diz-nos: "Como posso ser amado assim, a esse extremo, por um Deus?".

Que oferta divina, sublime, inefável e, ao mesmo tempo, tão simples, tão presente, tão humilde! Belo é o presépio, manifestação da simplicidade divina; sublime a cruz do calvário, na qual o Senhor nos serviu com amor, oferecendo-nos sua própria vida. No presépio o amor se fez criança, no calvário o amor se fez doação plena e total.

O evangelista Lucas compreendeu a grandeza desse mistério da encarnação do Filho de Deus. Maria, que participava das Primeiras Comunidades Cristãs: "Todos, profundamente unidos, perseveravam na oração com algumas mulheres, entre as quais Maria, mãe de Jesus, e com seus irmãos" (At 1,14), certamente entabulou boas conversas com Lucas, contando-lhe tudo o que aconteceu, pois é ele quem traz com mais detalhes o relato da infância de Jesus. Aí está uma grandeza para nossa humanidade, fato de nossa história humana e da salvação, do qual ninguém pode negar a existência.

Maria foi obediente à voz divina, escutou e não recusou. Abriu sua existência à vontade do Pai, que a escolheu entre todas as mulheres da Terra. Ela é a Mulher por excelência, e nela todas as mulheres encontram e reencontram sua dignidade. É Mãe de Deus, porque é a Mãe de Cristo, o Verbo eterno do Pai que veio morar entre nós.

Essa verdade de nossa fé, revelada, ou seja, sem o véu, não depende de nossas interpretações ou suposições. É ingênuo quem queira afirmar o contrário do que nos diz o Evangelho. Maria é e será eternamente a Mãe do Filho de Deus, portanto, Mãe de Deus, como a chamamos tão carinhosamente.

Desprezar Maria é desprezar o desígnio divino, que a escolheu e a chamou para tão nobre e sublime missão: trazer ao mundo o Senhor do Universo, Jesus Cristo, nosso Redentor.

Deixemo-nos, pois, ser amados por Deus e por Maria. Junto dela encontramos o Filho e, ao nos aproximar do Filho, encontramos também sua Mãe bendita, pois não há filho sem mãe nem Mãe sem filho. Deixemo-nos alcançar pelo amor maternal de Maria hoje e sempre.

ORAÇÃO

Minha boa Mãe, Maria,
Agradece a Deus, por mim,
Ser tão próximo e bom,
Amar-me tanto assim!

Também agradeço a ti,
Nova Eva, Ave-Maria,
Teu sim me deu salvação
E trouxe ao mundo alegria.

Poderia ser diferente,
Ó Mãe, o divino plano.
Mas quis, por ti, vir ao mundo
O Salvador, Deus-humano.

Mãe de nossa redenção,
Como deixar de te amar?
Em ti encontrarei Cristo,
Em Cristo vou te encontrar.

Mãe de Jesus, Mãe de Deus,
Mãe de toda a humanidade,
Que eu ame a Deus
e aos irmãos,
Em Espírito e em verdade.

2

MARIA:
CUMPRIMENTO DA PROMESSA DIVINA

*Deus chamou Abraão para ser pai de um povo
e chamou Maria para ser a Mãe de Jesus!*

O Senhor criou o homem e a mulher à sua imagem e semelhança. Bela é a narrativa da criação de todo o universo e do homem e da mulher, que encontramos no início do livro do Gênesis. Deus pensou na plena felicidade para o ser humano, colocando essa mesma felicidade ao alcance de suas mãos, no chamado Jardim do Éden: "O Senhor Deus tomou o homem e o colocou no jardim do Éden, para o cultivar e guardar. O Senhor Deus deu esta ordem ao homem..." (Gn 2,15-16). O projeto de Deus para conosco chama-se felicidade, harmonia, paz... Mas sabemos que Adão e Eva, símbolos da humanidade, disseram NÃO, quando deveriam dizer SIM – disseram SIM, quando deveriam dizer NÃO.

Atitude completamente diferente de Abraão (Gn 12), que obedeceu ao Senhor e partiu para uma terra distante apontada por Deus. Tornou-se o patriarca, o pai de todo o povo de Deus.

Essas duas atitudes contrapõem-se entre a obediência e a desobediência, entre a escuta de Deus e o cumprimento de sua Palavra e sua rejeição.

O Deus de Jesus não desiste nunca de nos amar. Mesmo recebendo *não*, a sua proposta continua através do tempo e da história, propondo sua Aliança de amor com a humanidade.

Chegado o momento certo, a plenitude dos tempos, a proposta da Aliança divina ressoa em uma cidade humilde e pequena, desprezada até, chamada Nazaré. A voz da eternidade ressoou no coração de uma jovenzinha humilde, chamada Mírian. Que surpresa divina! A NOVA EVA soube dizer SIM! Entendeu qual era o desígnio que se apresentava diante dela. Não hesitou, pois entendeu que o que é de Deus não se interroga, aceita-se plenamente, sem titubeio: "Eis aqui a serva do Senhor, faça-se em mim segundo tua palavra". O *não* que Deus recebeu de Adão e Eva é superado totalmente pelo *sim* de Maria. A fé de sua humilde serva acolheu o dom divino desejado desde o começo dos tempos. Os Santos Padres, aqueles que nos primeiros tempos da Igreja testemunharam com a vida e com suas reflexões a verdade de Cristo, afirmam que "o nó da desobediência de Eva foi desatado pela obediência de Maria, o que a virgem Eva atou pela incredulidade, a virgem Maria desatou pela fé".

Como é belo compreender, tão grande e tão simples ao mesmo tempo, esse mistério divino. Deus realiza sua *promessa* escolhendo Maria para ser a Mãe do Redentor, Jesus.

No Magnificat de Maria, ou seja, o cântico que ela cantou na casa de Isabel, quando a visitou, diz assim em seu final: "Socorreu seu servo Israel, lembrando-se de sua misericórdia, como havia prometido a nossos pais, a Abraão e a seus filhos para sempre" (Lc 1,54-55). O que isso significa? Significa que agora se realizava plenamente a *promessa do Pai*, desejada em Adão e Eva, que a recusaram, e proposta a Abraão, que aceitou humildemente tornar-se o patriarca do povo do Senhor. Mas, em Maria, a *promessa tornou-se plenitude*. A Aliança ou a promessa do amor salvífico do Pai é seu Filho Jesus, encarnado no meio de nossa humanidade. Brilhou no meio do mundo a certeza da salvação: o Cristo Jesus.

Maria tinha toda a liberdade de dizer *não*, como disse Eva. Mas seu coração era muito diferente, totalmente aberto e acolhedor. O coração de Eva voltou-se para si mesmo, tornou-se fechado e egoísta, cheio de ilusão. O coração de Maria era pleno de simplicidade, de singeleza e humildade, sempre voltado para o outro e não para si mesmo. Tanto é verdade que, logo após a anunciação, ela foi "apressadamente para a região montanhosa, para uma cidade da Judeia" (Lc 1,39), para a casa de Isabel.

O que aprendemos da disponibilidade de Abraão e de Maria para com as coisas de Deus? Aprendemos que só é possível nossa felicidade se o Senhor tomar parte em nossa vida e nos colocarmos inteiramente à sua disposição, como Maria e Abraão. A atitude de Adão e Eva é própria de quem rejeita ou se incomoda com as coisas de Deus. Somos nós, hoje, os continuadores da promessa divina realizada em Jesus Cristo.

ORAÇÃO

Ó mãe de Deus, minha mãe,
Meu coração te bendiz,
Pois o teu sim, dado a Deus,
Fez o mundo e a mim feliz.

Em ti, ó Mãe, cumpriu-se
A promessa do Senhor:
Na plenitude dos tempos,
Por ti veio o Salvador.

Uma Aliança de Amor
Quis Deus selar com seu povo.
Eva não quis, tu quiseste,
E a vida se fez de novo.

Como tu e Abraão,
Quero aceitar plenamente
Os planos de Deus, Senhora,
E seguir feliz, em frente.

Ó Mãe da obediência,
Faz-me contigo aprender:
Dizer sempre sim a Deus,
Sem dos irmãos me esquecer.

3

MARIA NA ESPERANÇA
DO POVO DE ISRAEL

> Ó Mãe dos pobres, que visitais silenciosamente as favelas, os barracos e os casebres; que se assenta à mesa e com eles repartis vosso meigo e suave amor!

O coração de Maria, a Mãe de Jesus, é um coração ilibado, ou seja, não tocado, sem mancha, puro. De dentro de seu coração, vêm todas as graças divinas e toda a esperança do povo, como a do povo de Israel. O jeito de Maria torna vivo o ensinamento de Cristo: "Quem se exalta será humilhado, e quem se humilha será exaltado" (Mt 23,12).

Os profetas anunciaram ao povo de Israel a necessidade da fidelidade ao Senhor que lhe foi sempre fiel. Proclamavam que o Messias viria para resgatar todo o povo, que o Senhor seria um Servo humilhado e que, mesmo com essa ignomínia humana, Ele permaneceria fiel.

A promessa que o Pai fez para seu povo, desde a aliança com Abraão, continua através dos tempos, e os profetas reconhecem que a plenitude dos tempos está chegando e, por isso, anunciam a chegada do Messias.

Maria, como cada fiel israelita, tem seu olhar voltado para o futuro, para a esperança da salvação, já prometida pelo Pai desde todos os tempos.

O Documento de Aparecida nos diz que Maria é a "interlocutora do Pai em seu projeto de enviar seu Verbo ao mundo para a salvação humana" e "com ela, providencialmente unida à plenitude dos tempos (Gl 4,4), chegam a cumprimento a esperança dos pobres e o desejo de salvação" (Doc. Ap. 266-267).

Importante observar no desenvolvimento da História da Salvação que Deus vai contando com as pessoas, com aqueles que Ele chama – mesmo com toda a liberdade da pessoa responder sim ou não –, para que se realizem seu desejo salvífico, sua promessa divina. Foi assim que o Antigo Testamento foi realizando a história do povo de Israel. Muitos foram os colaboradores, os interlocutores na realização da história da salvação.

Maria vivia dentro desse contexto histórico do povo de Israel. Podemos imaginar que aquela moça de Nazaré, que tinha em suas mãos os textos bíblicos, principalmente os dos profetas, olhava com fecundidade para o futuro, na certeza de que Deus viria em socorro de seu povo, Israel. Com toda a certeza, por causa de sua simplicidade e humildade, ela não esperava que seria também uma das "convidadas" pelo Pai, para ser a interlocutora da salvação, da realização plena da promessa feita outrora. Maria estava no meio do povo de Israel e, como israelita, aguardava a vinda do Messias.

Maria é surpreendida pelo aviso do céu, a anunciação do Anjo Gabriel, mas o povo também fica surpreso, pois, de uma cidadezinha sem importância, de uma casa humilde e sem importância social, foi de lá que o Pai escolheu a

Mulher que faria a grande ponte entre o Antigo e o Novo Testamento: Maria, esposa de José, Mãe de Jesus!

Dentro dessa esperança vivida por Israel, olhamos e contemplamos nossa realidade humana hoje. São tantas coisas que nos entristecem e fatos que nos amarguram. Mas, se há tristeza e desilusão, isso não é motivo para perder a esperança ou deixar de contemplar o horizonte e a beleza do entardecer. Maria nos ensina a assumir com toda a força o que é Deus e o que Ele nos pede com amor. Ela é modelo de disponibilidade e de vida em favor da vida. Quem está a favor da vida vive na esperança, como Maria.

O papa Bento XVI quando da abertura da Conferência Episcopal Latino-americana, em maio de 2007, afirmou em seu pronunciamento: "Maria Santíssima, a Virgem pura e sem mancha, é para nós escola de fé destinada a nos conduzir e a nos fortalecer no caminho que conduz ao encontro com o Criador do céu e da terra... Permaneçam na escola de Maria. Inspirem-se em seus ensinamentos. Procurem acolher e guardar dentro do coração as luzes que ela, por mandato divino, envia a vocês a partir do alto" (Doc. Ap. 270).

Maria foi a esperança de Israel. Maria é a esperança do povo de Deus peregrino nas sendas da história de hoje. Com ela, cada cristão, eu e você, pode ser também *sinal de esperança*. Redescubramos em nós a força da graça, do amor, da misericórdia divina.

Oração

Minha Mãe, Imaculada,
Tu és a Mãe da esperança.
Do Pai, colaboradora,
És Mãe da Nova Aliança.

Com o teu povo esperavas
Que do céu se abrisse a fonte.
E Deus te fez, Mãe querida,
Da salvação ser a ponte.

Flor escolhida por Deus,
No jardim de Nazaré.
Filha e serva obediente,
Doce esposa de José.

Deus viu tua humildade
E, por isso, exaltou-te.
E te fez ser a Mãe daquele
Que Israel tanto esperou.

Ó Mãe pura e sem mancha,
Ó Mãe que a todos consola,
Faz-me sinal de esperança
E estar sempre em tua escola.

4

MARIA E A
HORA DA SALVAÇÃO

Queria ter um coração do tamanho do universo para poder sempre amar e servir, porque assim foi o coração de Maria!

O relato do primeiro sinal de Jesus, na festa de casamento em Caná da Galileia, quando Ele transformou a água em vinho, é profundamente significativo para nossa fé: "No terceiro dia, houve uma festa de casamento em Caná da Galileia e lá se encontrava a mãe de Jesus... A mãe de Jesus lhe disse: 'Eles não têm mais vinho'. Respondeu-lhe Jesus: 'Mulher, que importa isso a mim e a ti? Minha hora ainda não chegou'. Sua mãe disse aos serventes: 'Fazei tudo o que ele vos disser'" (Jo 2,1-11).

Esse fato ou esse sinal de Jesus em Caná da Galileia mostra-nos a presença salvífica de Cristo no meio do novo Israel, chamado a experimentar o vinho novo da salvação. Aponta também para o sacrifício de Cristo que acontecerá no alto da cruz, em sua entrega total a nosso favor, para nossa salvação.

"Acabou o vinho ou eles não têm mais vinho" é uma forte expressão teológica nascida da boca de Maria. O jeito de Maria dizer mostra-nos o reconhecimento de que acabou o vinho em Israel, esgotaram-se seus frutos e, por isso, Maria encaminha o novo Israel para Jesus. Festa de casamento é um sinal-símbolo da Aliança, da nova Aliança que Deus faz com seu povo, por meio de seu Filho Jesus.

Outra bela e forte expressão teológica de Maria, que deve ressoar em nosso coração humano de agora, no tempo e na história de hoje: "Fazei tudo o que ele vos disser!" Maria convida-nos a acolher a Palavra de Jesus, começa a exercer seu "papel" de Mãe do povo de Deus; já realiza sua função maternal, que Jesus lhe dará no alto da cruz: "Mulher, eis aí teu filho. Filho, eis aí tua mãe" (Jo 19,26-27). Maria é a Mulher que nos aponta o caminho que devemos seguir: "Fazei tudo o que ele vos disser".

Ainda há uma significação importante na festa de Caná da Galileia, que é *a água transformada em vinho*. A água das talhas era usada para as abluções rituais, ou seja, para a purificação dos judeus. Essa água transformada em vinho significa a passagem da antiga para a nova Aliança, fundada no sangue de Cristo, em sua paixão e morte.

A hora da nossa salvação é agora. A atitude de Maria em Caná da Galileia nos leva a compreender que a salvação se realiza quando acolhemos o que nos diz Jesus. Essa é a realidade da nossa salvação em todos os tempos: *acolher o Evangelho de Jesus*. Não há diferença entre o Evangelho e a pessoa de Jesus. São a mesma realidade salvífica. Por isso é preciso ouvir o que Ele diz, e o que Jesus nos diz é o que está tão claro e tão vivo no Evangelho.

O ápice da *hora da salvação* acontece no alto do calvário: "Junto à cruz de Jesus estavam de pé sua mãe, a irmã de sua mãe, Maria, mulher de Cléofas, e Maria Madalena. Jesus, vendo sua mãe e perto dela o discípulo que amava, disse à sua mãe: 'Mulher, eis aí teu filho'. Depois disse ao discípulo: 'Eis aí tua mãe'. E, desta hora em diante, o discípulo acolheu-a em sua casa" (Jo 19,25-27).

Diante de Jesus, o Redentor da humanidade, Maria compreendeu, nesse momento no alto da cruz, sua missão de ser, a partir de agora, a Mãe da Igreja. A Igreja é sacramento do Reino. O Documento de Aparecida traz belo texto que nos diz: "Com os olhos postos em seus filhos e em suas necessidades, como em Caná da Galileia, Maria ajuda a manter vivas as atitudes de atenção, de serviço, de entrega e de gratuidade que devem distinguir os discípulos de seu Filho. Indica, além do mais, qual é a pedagogia para que os pobres, em cada Comunidade cristã, 'sintam-se como em casa'" (Doc. Ap. 272).

Bodas de Caná e alto do calvário não são dois momentos diferentes, mas sim o momento de nossa salvação, pois tudo culmina na pessoa de Jesus. Maria torna-se coparticipante da hora salvífica de Cristo. Continua sua missão como Mãe da Igreja e, por isso, vem ao encontro do povo do Senhor para lhe dizer: "A hora da salvação é agora". Continuemos, pois, no caminho de Cristo com Maria.

Oração

Em Caná da Galileia,
Bondosa Mãe e Senhora,
Teu apelo foi sinal
De que a salvação é agora.

Apontas o teu Jesus,
Como caminho a seguir:
A salvação é fazer
Tudo o que Ele pedir.

Começas tua missão
De ser também mãe do povo.
Vinho novo de Jesus
Faz Israel também novo.

Em Caná, és mãe do povo,
No Calvário, mãe da Igreja.
Quando nos faltar o vinho,
Nossa intercessora seja!

Ó Mãe da Nova Aliança,
Hoje peço com carinho:
Leva-me sempre a Jesus,
Dá-me sempre de seu vinho!

5

MARIA:
RESPOSTA AO PLANO DIVINO DA REDENÇÃO

Quem segue Maria não erra o caminho da salvação, pois ela nos conduz a Jesus!

A aurora é a resposta aos que se perguntam se haverá um novo dia, como o ocaso antecipa a certeza da noite que se aproxima. Quando contemplamos Maria, compreendemos que ela é a resposta ao plano divino de nossa salvação, ao responder sim, cumprindo a vontade do Pai, trazendo-nos o Redentor, o Deus de Amor, Jesus, nosso Salvador. Se a aurora nos dá a segurança de um novo dia, Maria nos traz a certeza viva de nossa salvação.

Não cabe a ninguém querer divergir da decisão divina em escolher Maria. Se isso viesse ocorrer, seria mesmo a maior desventura humana, uma autossuficiência insuperável, pois "o que é o ser humano diante de Deus?" (Sl 8,5).

A Palavra do Senhor e a Teologia nos mostram que Maria, pelos merecimentos de Cristo, foi preservada da mancha do pecado e, como Virgem escolhida, viveu como verdadeira filha do Pai e discípula de Cristo. Quando compreendemos o sentido da escolha de Maria e somos capazes de adentrar suas virtudes, descobrimos a nobreza de sua atitude como colaboradora do plano da redenção, e, por isso, ela é a resposta de que precisamos e que nos estimula em nossa vida cotidiana. Lembra-nos de que fomos feitos para olhar para o céu e aprender a contemplar as estrelas.

A resposta de Maria à redenção está no seguimento de Jesus. Sua vida se orienta continuamente, do começo ao fim, para o Verbo divino. Por isso não se preocupou em continuar seu projeto de vida – estava para se casar e, como toda israelita, certamente esperava ser mãe de muitos filhos, sinal da bênção de Deus –, deixou para trás o que era seu para acolher o que era de Deus. Aqui já aprendemos ter em nossa vida as mesmas atitudes de Maria. Deixar para trás nosso querer, para abraçar e acolher o querer de Deus. O Senhor nos chama para sermos "santos e imaculados no amor" (Ef 1,4). Se plantamos em nós os mesmos sentimentos de Cristo, teremos as mesmas atitudes de Maria: Estar em total e plena disponibilidade para Deus. "É Deus que nos confirma, a nós e a vós, em nossa adesão a Cristo, como também é Deus que nos ungiu. Foi ele que imprimiu em nós a sua marca e nos deu como garantia o Espírito derramado em nossos corações" (2Cor 1,21-22). Quando contemplamos Maria, vemos e sentimos: Uma resposta viva ao plano de Deus que é nossa redenção em seu Filho Jesus! Por isso seu *sim* deve ser nosso sim em cada dia. Esse é o caminho que o Senhor espera que percorramos, pois foi por ele que passou Maria. Deus quer expressar ou manifestar seu plano salvífico hoje, por meio de nós.

Ainda nos perguntamos: *Por que Maria é resposta ao plano de redenção?* Porque seu sim foi *a favor da vida*. Sabemos o quanto a vida hoje é ameaçada e de formas tão diferentes. Em nossos dias – se em nossa fé queremos sinceramente ser também uma resposta ao plano salvífico de Deus –, devemos tomar a posição de defesa e de promoção desse dom inefável, irrevogável, insubstituível: a vida! Maria que guardava em seu coração todas as coisas que ouvia de Cristo (Lc 2,19), vivendo no escondimento e na simplicidade de Nazaré, dá-nos o exemplo de sua radicalidade para com as coisas divinas. Responder com generosidade à vontade de Deus é praticar o mais alto, sublime e digno ato da vida humana. Isso é muito bonito, pois, sem deixarmos de ser humanos, praticamos o que é divino, como Maria.

Mas para realizar a vontade divina será sempre exigente. Maria não teve acolhida em Belém quando do nascimento de Cristo. Na apresentação no Templo, escutou a dura profecia de Simeão e teve de fugir para o Egito em defesa do Menino Deus. Por causa do malvado Herodes, viu seu Filho ser rejeitado, ultrajado e morto numa cruz. Tudo suportou porque sabia que seu Filho sairia vencedor da ignomínia humana.

Somos também marcados por muitas surpresas em nossa vida. Maria foi marcada pelas surpresas da vida e da dor. Inspirados no jeito de Maria em compreender e viver a fé, a esperança e a caridade, seremos também sinais de Cristo em nossos dias. Sejamos, pois, veneradores de Maria, a Virgem admirável, e tomemos um pouco mais da coragem da fé e do testemunho cristão.

Oração

Ó Mãe, aurora de Deus,
És sinal de um novo dia.
Quisera ser como tu,
Todo de Deus, Mãe, Maria.

Tua vida foi só sim
Aos pedidos do bom Deus.
Renunciaste teus planos,
Para cumprir só os seus.

Ó Mãe, colaboradora,
Da redenção, mãe da luz.
Quero caminhar contigo,
Dizendo sim a Jesus.

És Mãe do Novo Caminho,
Que eu quero percorrer.
Como santo e imaculado,
Possa eu teu sim viver.

Dá-me sempre a tua fé,
Tua força em toda lida.
Que como tu eu defenda
E promova, mãe, a vida.

6

MARIA:
RESPOSTA DA HUMANIDADE

Quero despertar em cada manhã com o desejo sincero de colocar Deus em primeiro lugar em minha vida, porque assim fez Maria!

O dia da anunciação a Maria, lá em Nazaré, foi o descortinar da grande história do mundo. A partir desse momento o novo, o eternamente novo, fez-se presente na história e na esperança de um povo. Naquela cidade da Palestina sem importância, Nazaré foi o "palco" onde se iniciou a nova história do mundo. Lá estava Maria, em seu recanto tão pleno de Deus, de escuta do Senhor, de acolhimento da vontade divina. Em Maria, a Palavra do Senhor encontrou abrigo e resposta. Em Maria, a humanidade se abre à verdade de Deus, pois nela está toda a humanidade que acolhe o Senhor e sua Palavra. Ela torna-se o modelo de vida e de compromisso com a verdade do Reino.

Se há atitudes no mundo que rompem nossa relação com Deus, em Maria encontramos o lado oposto, o jeito certo de assumir e viver com alegria nossa relação com Deus.

Ela é a Mulher livre e totalmente de Deus. É o que Deus espera que também sejamos. Maria deu sua resposta e o exemplo de que vale a pena entrar nesse caminho; agora a resposta é nossa. A fidelidade gera em nós a vida e a autenticidade da fé.

Maria deixou-se guiar pelo Espírito de Deus e a vida tornou-se plenitude, pois de seu seio bendito nos veio o Redentor. É o Espírito de Deus que vai nos falar no coração e nos revelar que Deus é amor infinito. Nós somos como *viajantes* e atravessamos nossos desertos, e como viajantes ou caminhantes temos sede, fome, cansaço. Só em Deus teremos saciada nossa sede de vida. Maria compreendeu isto desde o início de sua vida. Mas alguém poderá dizer: "Mas ela era a escolhida de Deus, e tudo se tornou mais fácil". É verdade que ela é a escolhida, mas Deus não lhe tirou a liberdade, e ela podia ter dado outra resposta ao chamado de Deus.

Nossa dificuldade é responder à vontade de Deus com intensidade. Não somos tão capazes de deixar para trás nossas dependências para viver com intensidade apenas a gratuidade divina. Parece-me que queremos Deus, mas também queremos as coisas, todas as coisas, o mais que pudermos. Não vemos pessoas frustradas, porque não possuem isso ou aquilo? Nossa tendência humana de acumular mais e mais diverge da atitude de Maria que tinha como única e primeira preocupação *cumprir a vontade de Deus*. Se queremos, de fato, ser livres e autênticos, só mesmo sendo uma pessoa que *pensa e age conforme o pensamento de Deus, de seu Santo Espírito*.

Somos, portanto, interrogados pela *resposta de Maria* à vontade divina. Não costumamos dizer que a *resposta de Maria* é a *resposta* da humanidade? Esta é nossa vocação, mas ainda não chegamos nem um pouco à altura da resposta de Maria. Falta-nos muito. Podemos chegar, mas é preciso decisão pessoal, comunitária e de Igreja. Enquanto não confiarmos plenamente na misericórdia do Senhor e não nos desfizermos de nossos "*agarramentos pessoais*", não nos assemelharemos a Maria, em sua total disponibilidade e fidelidade. Não seremos capazes de ter um olhar novo sobre os outros, sobre o mundo e sobre nós mesmos.

Reconhecemos a *resposta de Maria à vontade divina*, como resposta de nossa humanidade. É preciso nos deixar tocar pelo Espírito de Deus, ouvir seus "*gemidos*" que nos mostram que Deus é bom, que Ele é Pai, que nos ama, que nos perdoa e nos acolhe sempre. O mesmo Deus que amou Maria, ama a mim e a você.

Compreender Maria como a Mulher que assume em seu sim a resposta da humanidade ao amor de Deus é colocar-se a seu lado e pedir-lhe que segure nossa mão e nos conduza nesta vida. Assim caminharemos mais seguros e decididos. Ela será como que a *coluna* que nos sustenta no cumprimento da vontade divina e no encontro com seu Filho. Seguir o exemplo de Maria é ter a certeza de que a graça de Deus encontra em nós a resposta de uma fé autêntica e fecunda. Sejamos, pois, mais corajosos na fé hoje, do que fomos ontem.

ORAÇÃO

Ó minha mãe e modelo,
Ó mãe do caminho certo,
Teu sim gerou nova história,
Trouxe-nos Deus bem mais perto.

Filha, serva, mulher livre,
Obedecias a Deus.
Guiada pelo Espírito,
Mudaste os caminhos teus.

Com toda a intensidade,
Viveste tua missão.
Fazer o que Deus pedia
Foi tua preocupação.

Quero estar sempre a teu lado,
Segurando tua mão.
Ser livre de tudo aquilo,
Que esvazia o coração.

Vem ajudar-me a ouvir,
Do Espírito, os "gemidos",
Ser corajoso na fé,
Eis, ó Mãe, os meus pedidos.

7

MARIA:
CONTINUADORA DO PROJETO DO PAI

Maria, eu sei pela minha fé, e confio, que as portas do céu se abrem para receber todos os que vos amaram nesta terra!

Alegremo-nos com Maria, a Virgem tão santa e bela, tão digna Mãe do Redentor. Ela foi enriquecida da graça para a glória divina e para nosso bem. Santo Tomás de Aquino nos deixa claro que Maria foi cheia de graça *na alma*, porque era inteira de Deus, *no corpo*, porque de sua carne nasceu o Verbo eterno do Pai, e, por fim, *em nosso benefício*, porque abriu-nos as portas da graça divina. Santo Tomás de Vilanova confirma: "Ela é cheia de graça e de sua plenitude recebem todos".

Há uma imensidão de amor e de bondade de nosso Senhor para conosco. Tudo o que é realizado em Maria é pura bondade divina. Deus se aproxima de nossa humanidade, chamando Maria e ela assume com tamanha disponibilidade a vontade divina, tornando-se *imenso canal da misericórdia divina*. Com razão na *Salve, Rainha* a chamamos de *Mãe de Misericórdia*. A proximidade materna de Maria com Deus a aproxima visivelmente de nossa humanidade, pois é Mãe do Verbo encarnado e ainda mais porque o amor tem nela sua morada. Desse modo Maria continua seu *SIM* resoluto em favor de nossa humanidade. Como Mãe do Redentor, aproxima-se de nós, toma nossa mão e nos conduz no caminho de Jesus.

É interessante observar a delicadeza do povo de Deus para com Maria. Há incautos que afirmam ser uma piedade infrutífera. Há grande engano. O jeito de o povo relacionar-se com Maria é carregado de sinceridade, de amor e, por isso, é teologia manifestada nos sentimentos humanos. O perigo é avaliarmos as expressões sem entender o que passa realmente no coração. Sendo Maria o canal da misericórdia do Senhor, ela acolhe os filhos e filhas de Deus conforme estes se apresentam diante dela com sinceridade de coração.

Desse modo Maria continua cooperando com o projeto do Pai realizado em seu Filho Jesus, conduzindo-nos para junto dele, em quem encontramos a salvação. O evangelista Lucas nos lembra de que "conservava todas as coisas que ouvia de Jesus e as meditava em seu coração" (Lc 2,19; 2,51). Sua vida, seus pensamentos e seu modo de agir estão impregnados, "encharcados" da Palavra de Jesus. Ela pensa, fala, reage e atua conforme o que diz a Palavra do Senhor. Ela é a Mãe da Palavra encarnada que é Jesus.

O Documento de Aparecida, no número 272, diz: "Com os olhos postos em seus filhos e em suas necessidades, como em Caná da Galileia, Maria ajuda a manter vivas as atitudes de atenção, de serviço, de entrega e de gratuidade que devem distinguir os discípulos de seu Filho...".

Maria será sempre a fonte inspiradora de vida cristã e de missionariedade, para cada cristão e Comunidade. Continua a nos alertar para a necessidade de se ter uma vida voltada para o ensinamento de Cristo e para a vivência de seu ensinamento. Como boa Mãe que é, educa-nos no caminho de Jesus, chama-nos a atenção para nossos desvios e nos faz retomar o caminho de seu Filho. A presença de Maria nos enriquece e nos conduz no caminho do Reino.

Maria continua sua missão no mundo, levando-nos para perto e junto de seu Filho Jesus, pois nele encontramos a vida, a paz e a redenção.

Quem acorre mais decididamente ao encontro de Maria são os pobres, os sofredores, que agarram em suas mãos e suplicam pela vida. Os pobres só têm Deus em conta. Há abandono social e jogo de interesse em muitos de nossos líderes. Quem sofre as consequências são os pobres. Maria nos educa num estilo de vida partilhado, solidário e comprometido. Por isso que, logo após a anunciação, corre ao encontro de Isabel para servi-la. Os pobres sabem entender com maior rapidez os recados de Deus. E como toda a revelação divina, foram os humildes os mais dispostos e os mais acolhedores da Aliança do Pai, culminada na pessoa de Jesus, o Verbo encarnado. Essa mesma história de nossa redenção continua, pois são os mais pobres que acorrem ao encontro de Maria, que continua como servidora do Reino, no projeto do Pai, que é tornar viva sua Aliança de amor, no tempo de agora. Como Maria, sejamos também os pobres do Reino.

Oração

Ó Mãe, tão santa e tão bela,
Só pensando em nosso bem,
Deus te fez agraciada,
Para glória dele também.

Canal da misericórdia,
És tu, boa Mãe, Maria.
Consagrar-te minha vida
É a maior alegria.

Pela palavra de Deus,
Tua vida foi marcada.
Por ti, nossa humanidade
Vai sendo a Jesus levada.

Teu exemplo ilumina,
Mantém em nós o Amor.
Seguindo, Mãe, os teus passos
Alcançamos o Senhor.

Ó Mãe, no meu caminhar,
É teu manto que me cobre.
Faz-me semelhante a ti,
Dá-me um coração de pobre.

8

MARIA:
MEMÓRIA DA HISTÓRIA DE DEUS COM SEU POVO

Dizei ao Pai do céu, ó querida Mãe, que quereis me salvar, e Ele não vos negará esse pedido, porque em vós coloquei minha esperança!

Pensar em Maria como *memória da história de Deus com seu povo* é retomar na palma da mão a história da Aliança do Senhor conosco. Maria, que foi *acolhida pelo apóstolo em sua casa* (cf. Jo 19,27), acolhe-nos em seu coração e nos faz reviver a grandiosidade e a paz do amor divino, vivo e presente no meio de nós. O amor é sinal da presença do Reino.

Maria nos oferece a esperança divina nas horas extras de nossa vida, nas horas um pouco mais amargas e difíceis. É exigente o momento em que vivemos em nossa história de agora, pois enfrentamos uma sociedade marcada pelo consumo e pelo provisório, pelo descartável e pelo interesse somente do aqui e agora. Em Maria, encontramos o valor insubstituível do amor, pérola rara da graça divina e fonte inesgotável do bem, e podemos dela nos aproximar e saciar nossa sede de vida.

Maria nos traz a memória de que se aproximar de Cristo é a maior riqueza de nossa vida. Tudo passa, só Ele permanece para sempre. Ela é presença contínua de Jesus e formadora de nossa fé e de nossa consciência cristã. Sua presença maternal é força viva de Cristo em nossas Comunidades e em todos os momentos em que estamos reunidos em Cristo e como irmãos.

Deus quis juntar seu povo em torno de seu Filho Jesus. A nova Aliança inaugurada por Cristo, e que é o próprio Cristo, vem formar o novo povo e fazê-lo caminhar de um jeito totalmente novo. Esse é o desejo de Cristo. O que faz Maria? Ela nos motiva e nos incentiva a adentrarmos o mistério da nova e eterna Aliança, cumprindo em nossa vida o que nos ensinou Jesus. É Mãe incomparável, pois seu amor maternal vem ao nosso encontro para nos libertar.

O belo sinal do povo de Deus hoje é a Igreja. Ela é sacramento do Reino. Em sua constituição humana a Igreja está carregada de defeitos, pois ela é formada por nós mesmos. Vamos até ela carregados de bons desejos, mas sabemos de nossas fragilidades. O que importa na "visão" de Maria? Importa que os pobres e os humildes tenham seu lugar. Ela, que acompanhou seu Filho Jesus até a última hora, hoje acompanha os pobres e oprimidos, os rejeitados e excluídos da sociedade humana. Há poderosos no trono que não se voltam para os menores, mas para seus próprios interesses. Há discursos sobre os pobres e sofredores no mundo, mas não há vida, pois ela é gerada no amor; e se falta amor, falta vida.

A presença de Maria junto de nós e de nossas Comunidades orienta-nos para a verdade e para o seguimento de Cristo, fazendo-nos discípulos autênticos de Jesus. Pelo batismo, somos continuadores da mesma missão de

Jesus, e Maria nos relembra, por seu exemplo, do quanto precisamos estar atentos a esse compromisso com o Reino. Desde o dia da anunciação até a morte de Cristo na cruz, Maria caminhou com seu Filho, peregrinou com Ele no anúncio do Reino e sofreu junto dele a rejeição e a ignomínia. Depois, vivendo sua vitória sobre a morte, ou seja, sua Páscoa, permaneceu unida e presente nas Comunidades cristãs nascentes, as primeiras Comunidades nascidas depois da ressurreição de Cristo. Essa verdade torna-se clara quando vemos no Evangelho que "junto à cruz de Jesus estavam de pé sua mãe, a irmã de sua mãe, Maria, mulher de Cléofas, e Maria Madalena" (Jo 19,25). Isso significa comunhão profunda com o mistério da nova e eterna Aliança de Cristo.

Deus quis aproximar-se de nós por meio de uma pessoa, seu Filho. Em Maria, realiza-se a *plenitude dos tempos* (cf. Gl 4,4), a chegada da esperança aos pobres e oprimidos, aos desvalidos na concepção consumista e egoísta de nossa sociedade. Em Maria, recordamos a plenitude da História da Salvação, pois foi a partir de seu sim resoluto e generoso que a nova Aliança pôde realizar-se. Ela nos ensina a viver com a dignidade com que fomos todos criados. Deus se faz nosso parceiro e convida-nos a caminhar com Ele, seguindo seu Filho. Maria nos ensina que é possível sermos colaboradores de Jesus na redenção do mundo. Se ela nos recorda como Deus fez a História da Salvação com seu povo, também nos convida a nos tornar participantes hoje e agora, na redenção de seu Filho que continua presente na história do mundo.

ORAÇÃO

És vivo sinal de Deus,
Ó Maria, mãe de amor.
Nossa esperança divina,
Nas tribulações, na dor.

Ser Cristo o maior tesouro,
Dizes, mãe, com tua vida.
És formadora da fé,
Com o Amor comprometida.

Propondo a Nova Aliança,
Deus quer formar novo povo.
Tu és a mãe da Igreja,
Gerando Cristo de novo.

Peregrina com Jesus,
Na missão de anunciar
O reino só dos humildes,
Que Deus irá exaltar.

Ó Mãe, és minha esperança,
Pede a Deus para me salvar!
Pedido vindo de ti,
Deus não vai, ó Mãe, negar.

9

MARIA E A FIDELIDADE CRISTÃ

Rogo-vos, ó Mãe querida, que me façais perseverante em minha fé e sempre disponível às exigências do amor. Atendei-me: vós podeis, sois Mãe de Deus; vós quereis, sois minha Mãe!

Contemplamos Maria e sua fidelidade às coisas do céu, à verdade do Reino e de seu Filho Jesus Cristo. Contemplar Maria é descobrir nossa grandeza filial. Ao mesmo tempo, a Mãe nos interroga sobre nossa fidelidade ao Senhor.

Vivemos num mundo muito frágil. As pessoas andam ávidas por coisas passageiras e novidadeiras. Não atraem o suficiente aquilo que exige um pouco mais. Há recusa do que é exigente e isso me impede de caminhar com decisão e firmeza. Há uma fragilidade interior que não compreende o que é permanecer fiel e uma fragilidade externa que evoca o novidadeiro. Encontramos pessoas firmes em sua fé, em sua fidelidade ao Senhor, mas há certo clima social que recusa o que é mais exigente. É o mundo do palco onde se exibem espetáculos, mas não o do campo da seara, que exige suor, dedicação, empenho e generosidade.

Maria, a Mãe bendita de Jesus, a Virgem admirável por sua generosidade, disponibilidade e fidelidade nos interroga profundamente. É fácil compreendermos sua "reviravolta" de vida, pois estava noiva, certamente pensava em sua constituição familiar, mas foi preciso deixar tudo para cumprir o que era de Deus. Somente quem tem sempre em conta o Senhor muda seus planos. Nós queremos o Senhor, menos que Ele nos incomode e nos tire de nossos confortos.

A força do anúncio divino tocou profundamente em Maria. O projeto do Pai foi acolhido e vivido pela Virgem Mãe. Seu exemplo nos faz nos lançar com mais ousadia em nossa fé e nos enche de maior coragem para testemunharmos o que afirmamos crer.

Com nosso olhar e nosso coração fixos em Maria, reconhecemos seu exemplo de fidelidade e disponibilidade ao Senhor. Outra vez ela nos exorta a fazer o que o Senhor nos diz (Jo 2,5), para que a vida se torne abundante entre nós. Sem fidelidade não há vida. É bela a expressão de João, ao afirmar que Maria estava em pé aos pés da cruz: "Junto à cruz de Jesus estavam de pé sua mãe, a irmã de sua mãe..." (Jo 19,25), pois quem é fiel permanecerá sempre em pé, seja qual for a realidade que se tenha diante de si. Diante da cruz, Maria confirma com sua atitude de discípula, permanecendo em pé, a Aliança que o Pai realizou em seu Filho Jesus. Por isso, em Maria, está o exemplo completo de fidelidade; nela podemos nos espelhar e inspirar, pois fortalece nossa coragem em testemunhar no mundo de agora nossa fé em Cristo.

É admirável em nossos dias ver que há tantas pessoas que se dedicam aos outros na fidelidade do amor, trabalhando para libertar as pessoas, que se colocam a serviço dos menos favorecidos, no silêncio até, como aquela Religiosa que trabalha todos os dias junto dos idosos e abandonados. A fidelidade passa pela prática da caridade, da presença, da palavra que anima na esperança. Nossa vida amadurece quando nos dedicamos a fazer a vida acontecer em nossos irmãos e irmãs. É o que Maria fez por nós: Tornou a vida possível, pois em seu Filho "encontramos a vida em abundância" (Jo 10,10).

Nessa busca e na compreensão da fidelidade ao Senhor, lembremo-nos da realidade da mulher em nossos dias. Assim nos diz o Documento de Aparecida: "Em época de marcado machismo, a prática de Jesus foi decisiva para significar a dignidade da mulher e de seu valor indiscutível: falou com elas (Jo 4,27), teve singular misericórdia com as pecadoras (Lc 7,36-50; Jo 8,11), curou-as (Mc 5,25-34), reivindicou a dignidade delas (Jo 8,1-11)..." (Doc Ap. 451). Maria, como a Mulher escolhida do Reino, aponta para a dignidade da mulher e seu valor. Deus dotou-a com uma dignidade humana e divina. O Canto do *Magnificat* expressa a grandeza e a beleza de uma criatura fiel, uma mulher tão meiga e serena, mas inteiramente comprometida com a verdade. Sua voz ressoa profeticamente em nosso mundo de agora e que ela seja acolhida pelas mulheres de hoje.

Permaneçamos, pois, no exemplo de Maria, na fidelidade ao Senhor e a nós mesmos!

ORAÇÃO

Minha mãe, Virgem fiel,
Junto à cruz, forte, de pé.
És para mim, para o povo,
O incentivo na fé.

Dedicada e generosa,
Nada negaste ao Senhor.
Teus planos foram mudados,
Por planos do Deus de Amor.

Ensinas que vale a pena
Servir cada irmão
Que a vida só é feliz,
Com amor no coração.

Tua vida é resgate,
Para toda a humanidade.
Iluminas da mulher
A sua dignidade.

Faz-me, Mãe, perseverante,
Na alegria e no sofrer.
És mãe de Deus, minha mãe,
Podes, sim, atender-me.

*Segunda
Parte*

MARIA, MÃE DA HUMANIDADE

e Maria, cheia de graça! O Senhor é convosco. Bendita sois vós entre as mulheres e Bendito é o fruto do vo ventre, Jesus. Santa Maria, Mãe de Deus, rogai p pecadores agora e na hora de nossa morte. Amém. A ria, cheia de graça! O Senhor é convosco. Bendita so entre as mulheres e Bendito é o fruto do vosso vent sus. Santa Maria, Mãe de Deus, rogai por nós pec res agora e na hora de nossa morte. Amém. Ave Mar ia de graça! O Senhor é convosco. Bendita sois vós e as mulheres e Bendito é o fruto do vosso ventre. Santa Maria, Mãe de Deus, rogai por nós pecador ra e na hora de nossa morte. Amém. Ave Maria, che graça! O Senhor é convosco. Bendita sois vós entre lheres e Bendito é o fruto do vosso ventre, Jesus. San aria, Mãe de Deus, rogai por nós pecadores agora e a de nossa morte. Amém. Ave Maria, cheia de graça! nhor é convosco. Bendita sois vós entre as mulheres ndito é o fruto do vosso ventre, Jesus. Santa Mar ãe de Deus, rogai por nós pecadores agora e na hora sa morte. Amém. Ave Maria, cheia de graça! O Senh nvosco. Bendita sois vós entre as mulheres e Bendito é

10

MARIA:
MÃE CONSOLADORA

Maria, não vos esqueçais de nós, volvei-nos com vossos olhos piedosos e misericordiosos e socorrei-nos!

Não somos capazes de medir nossa confiança na Virgem Maria. Ela não pode ter limites, pois é nossa Mãe, Senhora e Rainha. A Igreja de Cristo a honra com elevada estima, pois ela é a fina flor de Israel, a Mãe do novo povo de Deus, nascido no coração do Cristo, o Messias, ou seja, o missionário do Pai. Ela é bendita entre todas as criaturas. Deus tudo fez por amor, mas escolheu com dileto amor e sabedoria aquela que seria a Mãe de seu Filho Redentor.

Volvamos nosso olhar para o Evangelho e assim compreenderemos melhor, com muito mais rapidez, o sentido da *consolação* de Maria em nossa vida, pois ela mesma foi consolada por Deus, por meio do Anjo Gabriel, que lhe disse: "Não tenhas medo, Maria, porque Deus se mostra bondoso para contigo" (Lc 1,30). Maria estava sempre em Deus; como é bela a saudação do Anjo Gabriel: "Ave, ó cheia de graça, o Senhor é contigo" (Lc 1,28)! Maria estava com Deus, estava cheia da graça divina.

Não há como olhar para Maria e não acalmar o coração nosso, muitas vezes tão carregado de incertezas, de inseguranças, de medo até. Há gente sofrendo no mundo, por causa da maldade, da dominação que escraviza e gera a morte. Há muitas mamães sofrendo com seus filhos porque entraram por caminhos tortuosos, como o do tráfico, da violência e o da busca do dinheiro fácil. O coração das mães sabe que por esse caminho não há vida, por isso elas sofrem. Nossa Senhora conhece a dor dessas mamães, principalmente, e se coloca ao lado delas, pois ela é Mãe Consoladora. Feliz a mamãe que, sofrendo, corre ao encontro da Mãe que sabe consolar e confortar.

Buscamos consolo em Maria, em qualquer situação de nossa vida, porque ela é inseparável do povo de Deus, que é a Igreja de seu Filho Jesus. A Igreja é o povo de Deus reunido no Cristo Senhor. Desse modo, encontramos em Maria essa certeza confortante de que ela está ao nosso lado. Ela nos socorre sempre e nos conforta com sua presença maternal e amiga. Ela é nossa verdadeira amiga, pois não se separa de nós, seja lá o que for que estivermos passando nesta vida.

São Germano tem razão quando nos diz que, "reconhecendo em Maria a fonte de todo o nosso bem e a libertação de todos os males, assim a invoca: 'Ó Senhora minha, sois a minha única consolação dada por Deus, vós o guia da minha peregrinação, vós a fortaleza das minhas débeis forças, a riqueza de minhas misérias, a liberdade de minhas cadeias e a esperança da minha salvação. Ouvi as minhas orações, tende compaixão dos meus suspiros, ó minha Rainha, que sois meu refúgio, minha vida, meu auxílio, minha esperança, minha fortaleza!'" Assim, todos os que buscam seu refúgio encontrarão consolo, sem dúvida nenhuma.

Devemos aproximar-nos de Maria com espírito generoso, confiante, desprendido e humilde, sem arrogância ou "jogo de interesses". Isso é importante e fundamental. Toda relação sincera de amor se dá na gratuidade. Sem gratuidade não há amor, pois foi assim que Deus nos amou e nos ama.

Afirma-nos o Documento de Aparecida que "Maria Santíssima é a presença materna indispensável e decisiva na gestação de um povo de filho e irmãos, de discípulos e missionários de seu Filho" (Doc. Ap, 524). Portanto reconhecemos a presença maternal e consoladora de Maria junto do povo de Deus. Sejam quais forem nossas incertezas, ela estará sempre presente. Ainda mais porque ela própria passou por momentos tão difíceis em sua vida junto de Jesus e em momento algum deixou de seguir fielmente Jesus e de cumprir sua missão. Somos coerdeiros desse modo tão sublime que é acolher integralmente a missão que lhe foi confiada.

Olhemos, pois, com mais esperança para nossa vida e para nosso futuro. Há certezas que nos esperam e que nos darão a paz e a liberdade autênticas. Não poderão romper os laços de quem confia no Senhor de todo o coração. Maria se coloca a nosso lado e nos dá consolo, mas também nos aponta seu Filho Jesus, pois nele encontraremos sempre a abundância da vida e a certeza de nossa redenção.

Oração

Ó bendita entre as mulheres,
Em toda a minha aflição,
Como filho a ti recorro,
Virgem da Consolação.

Eu sei, ó Mãe, que entendes
Meu sofrer na caminhada.
És a mãe do coração
Transpassado pela espada.

Tu és a mãe do amor,
Tu és a gratuidade.
Geradora de discípulos,
Missionários de verdade.

És fonte de todo bem,
Dos males libertação.
Contigo sigo feliz
Minha peregrinação.

Vem consolar-me na dor,
Acalma o meu coração!
Que eu sinta sempre a ternura
De tua materna mão.

11

MARIA:
PROMOTORA DA MISERICÓRDIA

Dizei ao Pai do céu, ó querida Mãe, que quereis me salvar, e Ele não vos negará esse pedido, porque em vós coloquei minha esperança!

Quando meditamos a História da Salvação, vemos como o Senhor foi aproximando-se de seu povo. Escolheu seus colaboradores para que se realizasse no meio da humanidade seu desígnio salvífico. Vemos pessoas simples e humildes acolhendo o que Deus lhes solicitava e aos poucos foram compreendendo que eram chamadas para ser sinais da misericórdia divina. Assim foram Noé, Abraão, Moisés, Profetas, João Batista, José e Maria, só para lembrarmos alguns dos que abraçaram o desígnio divino.

Certamente, a História da Salvação é a mais bela e insuperável história de nossa humanidade, pois vemos que o Pai foi derramando sobre nós sua infinita misericórdia. Só um coração empedernido não se deixa tocar por tão nobre e comovente história.

A misericórdia significa que o Senhor colocou em nosso peito seu coração divino, para que pulse dentro de nós a vida em abundância.

Maria é o ápice da história dos escolhidos de Deus. É a criatura ilibada, pois assim o Pai a preservou para ser a Mãe de Jesus. Não queiramos com nossa razão explicar o desígnio divino. Não seremos jamais capazes disso. Basta ter um coração humilde e acolher o que é de Deus. Assim foi Maria, que humildemente aceitou o que veio de Deus e tornou-se a criatura mais querida da humanidade, depois de Jesus. Que belo presente ela nos deu! Fez nascer no meio de nós a misericórdia viva do Pai, Jesus, seu Filho.

Recordamos Maria como a *promotora da misericórdia*. Nós rezamos na *Salve, Rainha* que ela é Mãe de Misericórdia. De fato, pois em seu seio bendito foi gerado o Redentor da humanidade. A encarnação é o sinal claro da redenção do Pai para conosco. Por isso é muito justo e digno chamar Maria de Mãe de misericórdia, porque ela o é, de fato.

Maria nos ensina a estender o olhar sobre o mundo, sobre nosso lugar e sobre nós mesmos. O cristão é quem abre seus olhos para compreender a história de agora. É na história de agora que Deus continua a História da Salvação e conta conosco para que ela se realize.

Há uma exigência da fé em nossos dias: Compreender a história malograda de nosso tempo, que gera pobreza e miséria, que traz injustiça e opressão. Há dirigentes sociais pensando em seus benefícios próprios e não no bem do povo. Há crianças morrendo de fome no meio de uma terra que produz milhares de toneladas de alimento. Por que há fome no meio de fartura? Porque há egoísmo, ganância, usurpação do direito de viver do outro. É a triste cena no palco de nosso mundo.

A Mãe de Misericórdia tem seu olhar voltado para os mais lascados, sofredores de nossa sociedade. Ela nos toma pela mão e nos aponta onde está o irmão com fome, onde está a dignidade humana ferida pela ambição do lucro. Maria nos faz abrir os olhos para a realidade que nos cerca, por isso mesmo, em sua bondade materna, volve seu olhar para cada um de nós e também nos aponta em direção de nossos irmãos e irmãs, principalmente os que estão destituídos de seus direitos fundamentais.

Maria promove a misericórdia, pois, como Mãe que é, não permite jamais que haja entre nós distinção de dignidade ou de amor. Ela tira nossa cegueira, pois somos capazes de olhar para nós mesmos, mas o amor nos faz olhar para nossos irmãos. A misericórdia é a verdade transbordante de Cristo, por isso é impossível querer retê-la.

Poderemos sempre contar com a proteção misericordiosa de Maria em nossa vida. Mas ela vem nos pedir com insistência, como boa Mãe que é, que estejamos mais atentos à realidade que nos cerca e sejamos também capazes de estender a mão para socorrer, como fez o Bom Samaritano. Nossa vocação cristã é para sermos sinais da misericórdia divina no mundo.

Portanto, ao venerarmos Maria como *promotora da misericórdia*, devemos voltar nossos olhos para nós mesmos e assim descobrirmos e redescobrirmos a realidade da vida de nossos irmãos e o quanto somos chamados a ser misericordiosos: "Sede misericordiosos como vosso Pai é misericordioso!" (Lc 6,36). Façamos, pois, todos os dias, o exercício da misericórdia para conosco e com nossos semelhantes.

Oração

Ó Misericordiosa,
Em teu seio foi gerado
O Deus de misericórdia,
Jesus, redentor amado.

Tu és da misericórdia
A excelsa promotora.
Modela meu coração,
Minha mãe educadora.

Tu és, depois de Jesus,
A quem o povo mais ama.
És o bálsamo, o remédio,
De quem na dor por ti clama.

Teu testemunho de vida
Constantemente nos diz
Que o egoísmo e a ganância
são moradas do infeliz.

Faz-me semelhante ao Pai,
Transforma meu coração!
Que eu tenha misericórdia
Por minha irmã, meu irmão.

12

MARIA:
ENCONTRO COM A CARIDADE

Eu vos saúdo, ó Virgem bendita, e neste dia quero vos entoar louvores, pois louvar a vós é louvar a Deus que vos escolheu no amor!

Feliz o coração humano que, generosamente, sai de si e vai ao encontro das necessidades dos irmãos. Feliz o coração que se volta intensamente para a prática da caridade. Está no caminho do céu, e nenhuma tristeza virá ocupar nele algum lugar. Praticar o bem e a caridade é ter a certeza da paz e da eternidade.

Maria é a beleza do Senhor que se volta para nossa humanidade. Relembramos o dia em que Maria saiu apressadamente para encontrar-se com Isabel: "Maria partiu em viagem, indo às pressas para a região montanhosa, para uma cidade da Judeia. Entrou na casa de Zacarias e cumprimentou Isabel" (Lc 1,39-40). Sabemos que a alegria de Isabel foi imensa: "Como me é dado que venha a mim a mãe de meu Senhor?" (Lc 1,43). A presença de Maria faz transbordar cada coração humano, como o de Isabel. Maria foi a seu encontro para servi-la naquele momento em que aguardava o nascimento de João Batista. Não foi um passeio pelos campos e montanhas da Palestina. Foi um encontro de caridade.

A caridade é verdadeiramente revolucionária, pois traz toda a força transformadora da vida. Ela devolve a dignidade das pessoas que, exploradas pela ganância dos poderosos, conseguem a força necessária da esperança. Nós criamos estruturas e tomamos muitas decisões em todos os campos da sociedade, mas somente a caridade não faz perguntas nem se perde em planos e planejamentos humanos, pois ela almeja unicamente a vida e a dignidade, o direito de viver que nos foi dado por Deus; ninguém tem o direito de feri-lo ou tirá-lo. O que fez Jesus? Resgatou a dignidade da vida daqueles que estavam jogados à margem da sociedade.

O caminho que devemos percorrer é o mesmo de Maria, seu *"fiat"*, cumprindo aqui e agora a vontade do Senhor. E sua vontade é que vivamos um amor comprometido em defesa da vida. O clamor pela vida é muito forte em nossos dias, pois ela sofre ameaças de muitas formas e modos. A vida é "objeto" de contemplação.

Maria abandonou-se em favor do amor, manifestando sua plena e corajosa disposição ao dizer: "Faça-se em mim segundo a tua Palavra". É o pleno abandono nas mãos de Deus. Será que nós temos essa mesma coragem? Certamente, encontramos muitas pessoas que, silenciosamente, realizam isso. Nossas relações humanas devem ser carregadas de silêncio, de amor, de misericórdia. Assim fez e foi Maria. No Evangelho encontramos poucas palavras de Maria, mas nenhuma se perde, pois ela está plenamente imersa no amor do Senhor. O coração que ama põe-se continuamente em oração, como Maria na anunciação, no presépio, na paixão, no calvário e junto das primeiras Comunidades cristãs. Tudo guardava em seu coração, pois sabia que o amor era sempre vencedor.

Meditando em Maria, descobrimos mais e mais a presença do amor transformador. Ela nos dá verdadeiramente uma grande lição, ensinando-nos a ter os mesmos sentimentos de Cristo. É feliz quem os tem. Maria foi caridosa com toda a nossa humanidade, por seu abandono completo nas mãos do Pai, cumprindo sua vontade. Isso não pode passar despercebido por nenhum de nós. Ela nos ensina a penetrar no insondável mistério do amor divino. Essa escola nenhum cristão poderá deixar de frequentar. Ela nos repete as mesmas palavras de seu Filho: "Permanecei no meu amor. Permanecei em mim e eu permanecerei em vós... Sem mim nada podeis fazer" (Jo 15,4-5.9).

Maria nos chama, pois, para viver uma vida com intensa caridade. Convida-nos a sair de nossa morosidade e acomodação. É fácil viver uma fé descomprometida. Porém a fé autêntica é exigente, pois nos faz ir ao encontro do outro. Quando não se vai ao encontro do outro, é sinal de que nos faltam a fé autêntica e o amor verdadeiro. Maria é modelo de vivência da fé e de comprometimento com a caridade. Sabemos disso, mas seguir seu exemplo depende nós, de nossa decisão.

Oração

Ó minha mãe, eu te louvo
Pela tua caridade.
És sinal vivo de Deus,
Mãe de amor, mãe de bondade.

Encontrar-te é encontrar
A caridade, Maria.
A alma encontra Jesus,
E salta, Mãe, de alegria.

Devolves dignidade
A quem Deus fez sua imagem.
É teu abandono em Deus
Fonte de fé, de coragem.

Por amor Deus te criou,
Por amor é que eu existo.
Faz-me, Mãe, ter como tu
Os sentimentos de Cristo.

Por isso, peço, Senhora,
A graça da caridade.
Viva eu comprometido
Com teu Jesus de verdade!

13

MARIA:
CAMINHO DE ESPERANÇA

Maria, animai-me na esperança de ver um dia a paz renascendo viçosa e jubilosa no mundo e em minha família!

Deus, em seu amor, desde toda a eternidade, volveu seu olhar compassivo para a humanidade. Ele nunca nos abandona. É tão bela a afirmação do Evangelho que vem nos lembrar do quanto somos amados por Deus, a que extremo de amor Ele chega: "Deus tanto amou o mundo, que lhe deu seu único Filho, para que não morra quem nele crê, mas tenha a vida eterna" (Jo 3,16).

Nossa esperança nasce, cresce e frutifica-se nessa certeza do amor de Deus por nós. Somos todos portadores dessa dádiva divina. Mas é preciso redescobri-la em cada dia, pois nossa vida deve ser constantemente regada pela certeza do amor de Deus e pela esperança que nos faz olhar com mais largueza para a própria vida e para a história que vivemos.

O amor e a esperança são dons e gratuidade de Deus. Eles precisam resplandecer em nós e em nossas atitudes.

Em nosso amor e esperança vividos, o Senhor manifesta seu amor para conosco. No amor transparece a gratuidade de Deus. Na esperança transparece nossa confiança no amor com que o próprio Deus nos amou. Desse modo o cristão será a boa-nova no mundo dilacerado por tantas discórdias, divisões, separações. A esperança nos chama para a fecundidade da paz, da liberdade e do gosto de viver. E de quanta paz precisamos!

Maria, como Mãe da esperança, chama-nos para contemplar o rosto de Cristo e reconhecer nele a fonte de toda a vida. Ela nos faz compreender o rosto do Cristo que é anúncio da verdade do Pai que, na iniciativa de seu amor, nos enviou seu Filho, contemplar o rosto sofredor do Cristo que se compadece dos oprimidos e dos excluídos, dos marginalizados e injustiçados e nos faz ser aqui e agora, por meio do testemunho cristão, sinais vivos do Reino. Maria pode nos pedir isso, pois foi o que ela mesma viveu e testemunhou.

Viver a esperança é "mergulhar" na vida, mas com um olhar diferente sobre tudo o que ela nos apresenta. É encantar-se com a certeza de que há um Deus por mim, que me ama, que não me decepciona.

Quando da apresentação de Jesus no Templo de Jerusalém, Maria não ouviu a dura profecia de Simeão? "Este menino vai causar a queda e a elevação de muitos em Israel; ele será um sinal de contradição; a ti própria, uma espada te transpassará a alma" (Lc 2,34-35). Cristo será rejeitado por muitos, será perseguido e morto pelos seus. Tudo isto vai doer profundamente no coração de Maria. Ela é Mãe, e qual mãe não sofre ao ver o sofrimento do filho? Porém sua atitude é de esperança. Confia. Sabe que o sofrimento não tem um fim em si mesmo. Que a vida é mais forte que a morte.

Olhemos para as mamães que sofrem com seus filhos hoje, por causa de muitos motivos. Cada um de nós sabe avaliar e compreender quais são esses motivos. Eles existem por causa de nossas decisões erradas ou porque não valorizamos a própria vida. Triste é ouvir de um jovem adolescente, ao ser perguntado sobre o que espera da vida, ele que vivia no meio do tráfico: "Para mim conta apenas matar ou morrer!" Tristeza para uma sociedade que permitiu ceifar a vida, sem ainda ter "amadurecido".

Contemplando a vida de Maria, saberemos resgatar a dignidade humana, compreender a realidade que nos cerca e, como cristãos, tomar a atitude em favor da vida e não da morte. Nossa esperança é o Cristo, nosso Redentor, mas Maria, como verdadeira discípula de seu Filho, ensina-nos a enxergar com outro olhar: o da esperança!

São muitas as exigências da vida, mas é necessário redescobrir esse dom maravilhoso que nos foi dado por Deus. É preciso cantar, dançar, poetizar, alegrar-se com a arte e com a música, pois é assim que cultivamos a esperança, no meio das dificuldades e das lutas, que se fazem presentes em nossa história.

De Maria, aprendemos a enfrentar o que se apresenta em nossa história, sem perder jamais a esperança. Se a aurora nos traz a certeza de um novo dia, o amor de Deus por nós, vivido por Maria e por tantas pessoas de bem, faz-nos resgatar a esperança, que talvez tenha sido esquecida dentro de nós. Aprendamos, pois, a olhar um pouco mais para o céu!

Oração

O Deus que amou o mundo,
Oferecendo aliança,
Escolheu-te, Mãe querida,
E te fez a Mãe da esperança.

Ele é amor que nos ama,
E viver dessa certeza
É caminhar na esperança,
Rumo à eterna beleza.

Quero seguir, Mãe, contigo,
Ter teu materno carinho,
Confiando e esperando,
Seja qual for o caminho.

Seguirei sempre teus passos,
Vislumbrando o novo dia.
Cantando contigo, Mãe,
O meu canto de alegria.

Por isso hoje te peço
Um coração de criança.
Jamais duvidar de Deus,
Viver feliz na esperança.

14

MARIA:
FORÇA DE PERSEVERANÇA CRISTÃ

Senhora, Mãe de Deus e minha, que eu saiba sempre dizer sim à vontade de Deus, como vós dissestes!

Os Atos dos Apóstolos afirmam como viviam os primeiros cristãos: "Eles perseveravam na doutrina dos apóstolos, na vida em Comunidade, na fração do pão e nas orações" (At 2,42). Esse é o retrato da Comunidade cristã nascida em Cristo ressuscitado. Vivia em união, praticava a comunhão fraterna por meio dos bens, ouvia a Palavra e celebrava com alegria a ação de graças, que é a Eucaristia. No encontro da Comunidade, dentro de uma realidade histórica na qual os cristãos eram perseguidos, não falta a alegria da fé no Cristo ressuscitado. Os encontros eram festivos, participativos, com a presença de todos. Isso concluímos ao ler os Atos dos Apóstolos. Por que acontecia isso? Porque era viva a memória de Cristo ressuscitado, sua Palavra, seu ensinamento. A Eucaristia da qual hoje participamos nasceu nesse clima vivido nas primeiras Comunidades cristãs.

Havia na Comunidade nascente uma presença muito estimada: a de Maria, Mãe de Jesus: "Todos perseveravam unânimes na oração, junto com algumas mulheres, entre as quais Maria, mãe de Jesus" (At 1,14). Certamente, somos desejosos dessa presença tão amável de Maria. Imaginemos, pois não temos nada escrito, o quanto Maria conversou com a Comunidade, sobre como o Pai foi lhe manifestando sua vontade e como seu Filho assumiu sua missão. Ela era, com certeza, a grande catequista da Comunidade, como o é para nós hoje; pois todas as vezes que a ela recorremos, aponta-nos o caminho de Jesus e caminha conosco por ele.

Perseverar é caminhar com Jesus. Maria nos ensina como devemos superar nossas dificuldades e diversidades, sendo perseverantes em Cristo e em seu Evangelho. Se, no início da Igreja, nas primeiras Comunidades, Maria tinha toda a autoridade para falar em nome de seu Filho Jesus, essa autoridade materna continua agora, quando vem nos lembrar, cochichar em nosso ouvido, para fazermos "o que seu Filho nos ensina e nos pede para fazer" (Jo 2,5).

Maria ainda tem muito para nos dizer, e as palavras de Paulo apóstolo são suas palavras para nós agora, Igreja peregrina. Ela nos diz: "Tenham em vocês os mesmos sentimentos de Cristo Jesus: apesar de sua condição divina, Ele não se apegou ciosamente à sua igualdade com Deus. Ao contrário, aniquilou-se a si mesmo e assumiu a condição de escravo, tornando-se semelhante aos homens" (Fl 2,5-7). Com essas mesmas palavras de Paulo, ensinada nas Comunidades nascentes, Maria nos ensina o mistério de Cristo encarnado, sua existência, sua humilhação e exaltação. Cristo não se manifestou na terra com sua glorificação, mas escolheu o caminho mais difícil, justamente por ser mais exigente, e por isso preferiu parecer um homem comum. Foi bem ao contrário de Adão, que sendo um simples homem quis ser igual a Deus. Perseverar na vida cristã é ter os mesmos sentimentos de Cristo e tornar-se servidor a exemplo dele, que "veio para servir e não ser servido" (Mt 20,28).

O caminho da perseverança é exigente, pois, mesmo em meio às incontáveis adversidades e oposições, mantemo-nos firmes na mesma direção: "É esperar contra toda esperança" (Rm 4,18). Maria viu e ouviu as oposições e adversidades contra Jesus, até o ápice de sua condenação à morte de cruz. Desde a profecia de Simeão no Templo de Jerusalém, Maria não fugiu do caminho que Deus lhe havia reservado.

Como cristãos vivemos e afirmamos nossa fé em Cristo. Mas, se há oscilações e queremos fugir das horas mais difíceis pelas quais temos de passar, é preciso rever a perseverança de nossa fé. Humanamente não é mesmo fácil enfrentar as adversidades que se nos apresentam. Mas, confiantes na certeza da presença de Cristo, superemos esses momentos para experimentar depois a alegria da vitória da vida. Assim foi com Maria e com Jesus, e é possível para nós. Dobremos, pois, nossos joelhos diante do Senhor, pois Ele é nossa única certeza e segurança.

ORAÇÃO

Foste a causa da alegria,
Nos primórdios da Igreja.
Contigo perseveravam,
Em meio a tanta peleja.

O teu poder maternal,
De Deus toda a graça alcança.
Pede por mim, para mim,
O dom da perseverança.

Tu sabes, Mãe, não é fácil
Seguir de Cristo o caminho.
Mas se caminhas comigo,
Não vou me sentir sozinho.

Sigo feliz o caminho,
Que Deus para mim tem previsto.
Dá-me os mesmos sentimentos
De teu Filho Jesus Cristo.

Agora, Mãe, de joelhos,
Peço tua intercessão.
Faz-me ser perseverante
E alcançar a salvação.

15

MARIA
NA VIDA DE COMUNIDADE

Maria, que eu cumpra em minha vida a missão que meu batismo me deu, e, por isso, eu quero viver vida de Comunidade!

Maria está presente junto do povo de Deus, pois é Mãe da Igreja. Sua presença amiga é certa. Ela realizou plenamente sua santidade e, por isso, é nosso modelo de seguimento de Cristo e de vida cristã.

Voltemos nosso olhar para a Igreja nascente, na qual Maria se fazia presente: "Todos perseveravam unânimes na oração, junto com algumas mulheres, entre as quais Maria..." (At 1,14). O único nome que aparece entre as mulheres é o de Maria, pois ela é o rosto da Igreja nascente. Ela é bendita entre todas as mulheres! Ela está presente na Comunidade reunida em nome de Cristo no cenáculo. Ali presente, ela também espera o Pentecostes, a vinda do Espírito Santo. A Mãe de Cristo, escolhida para cumprir a promessa do Pai em nos dar o Salvador, agora espera o cumprimento da promessa de seu próprio Filho: A vinda do Espírito Santo. Depois da ascensão de Cristo ao céu e à espera do Pentecostes, a Mãe está presente junto da Igreja que dá seus primeiros passos, cumprindo o mandato de Cristo: "*Ide e ensinai*" (Mt 28,19).

Na Comunidade Maria recorda o rosto de Cristo presente no meio de nós: "Ele está no meio de nós", dizemos na Eucaristia. Mostra-nos também que, desde seu início, ela é Mãe compassiva e presença viva na Igreja. Desde a segunda anunciação, agora feita por seu próprio Filho: "Mulher, eis aí teu filho. Filho, eis aí tua mãe " (Jo 19,26-27), podemos contar com a presença solícita de Maria, sua proximidade de nós, povo do Senhor, Igreja peregrina, caminhante, cheia de esperança. Ela nos recorda o quanto Deus nos ama e quanta misericórdia nos concede seu Filho Jesus.

Outra certeza que podemos contar sempre de Maria: Ela reza por nós e nos educa no conhecimento de Cristo e na vida de comunhão. Ela é por excelência a educadora do povo de Deus que somos nós. Como Mãe bendita, toma-nos pela mão e nos conduz ao encontro do Pai em seu Filho Jesus. Não precisamos de outra motivação além desta certeza de que Maria se coloca a nosso lado e reza conosco, como Mãe e como Nossa Senhora.

Voltemos nossa atenção para o *Magnificat* de Maria (Lc 1,46-55). Nele encontramos um coração da Virgem Mãe que sabe compreender de modo profundo a missão de seu Filho Jesus. Seu coração materno volta-se para a realidade de um povo sofredor, mas que espera em seu Senhor. Suas palavras são transformadoras e interrogam nossas atitudes. O *Magnificat* nos dá o grande ensinamento de como devemos ser e viver em Comunidade hoje, assumir o compromisso com Deus, reconhecer suas maravilhas, a maravilha de seu amor e de sua misericórdia e a força do amor de Cristo que depõe orgulhosos e soberbos de seus tronos e devolve a esperança aos pobres e famintos. O Senhor nos acolhe, como acolheu a Israel, e nele se realiza a promessa feita desde Abraão. No *Magnificat* encontramos o projeto do Reino, cantado por Maria na casa de Isabel, nesse encontro de Deus com o povo pobre e oprimido, pois Isabel é a imagem desse povo sofredor. Maria sabe compreender a força misericordiosa do Pai em seu Filho Jesus. Esse projeto do Reino continua vivo em nossas Comunidades. Só é preciso descobri-lo e redescobri-lo em nossa vivência e em nosso compromisso comunitário. E Maria espera que isso se realize entre nós.

Carregados no colo materno de Maria, irmanados na mesma fé em Cristo, com o coração transbordante de alegria e de gratidão, nós rezamos:

> A minha alma engrandece ao Senhor
> E se alegrou o meu espírito em Deus, meu Salvador;
> Pois ele viu a pequenez de sua serva,
> Desde agora as gerações hão de chamar-me de bendita.
> O Poderoso fez por mim maravilhas e Santo
> é o seu nome!
> Seu amor, de geração em geração,
> Chega a todos os que o respeitam;
> Demonstrou o poder de seu braço,
> Dispersou os orgulhosos;

Derrubou os poderosos de seus tronos e os humildes exaltou;
Saciou de bens os famintos e despediu,
Sem nada, os ricos.
Acolheu Israel, seu servidor, fiel a seu amor,
Como havia prometido a nossos pais,
Em favor de Abraão e de seus filhos, para sempre.
Amém!

Oração

És Mãe, figura da Igreja,
Entre as mulheres bendita.
Como outrora, também hoje,
Ela de ti necessita.

Para a Igreja caminhante,
Revelas hoje também
O rosto de Jesus Cristo,
Nosso eterno e sumo bem.

A tua presença, Mãe,
Atrai o fogo do amor.
Contigo é Pentecostes,
Na Igreja do Senhor.

Teu canto é luz que ilumina,
Ó Mãe, a comunidade.
Ensina o caminho certo,
Que leva à felicidade.

Vem hoje, às pressas, Maria,
Visitar-me, por favor.
Derruba em mim falsos tronos,
Faz-me Cristo! Faz-me amor!

...e Maria, cheia de graça! O Senhor é convosco. Ben... ...sois vós entre as mulheres e Bendito é o fruto do vo... ...ventre, Jesus. Santa Maria, Mãe de Deus, rogai p... ...pecadores agora e na hora de nossa morte. Amém. A... ...ria, cheia de graça! O Senhor é convosco. Bendita s... ...entre as mulheres e Bendito é o fruto do vosso vent... ...sus. Santa Maria, Mãe de Deus, rogai por nós pec... ...res agora e na hora de nossa morte. Amém. Ave Mar... ...ia de graça! O Senhor é convosco. Bendita sois vós e... ...as mulheres e Bendito é o fruto do vosso ventre. ... ...Santa Maria, Mãe de Deus, rogai por nós pecador... ...ra e na hora de nossa morte. Amém. Ave Maria, che... ...graça! O Senhor é convosco. Bendita sois vós entre... ...lheres e Bendito é o fruto do vosso ventre. Jesus. Sa... ...aria, Mãe de Deus, rogai por nós pecadores agora e... ...na de nossa morte. Amém. Ave Maria, cheia de graça! ...nhor é convosco. Bendita sois vós entre as mulheres ...ndito é o fruto do vosso ventre. Jesus. Santa Mar... ...ãe de Deus, rogai por nós pecadores agora e na hora ...ssa morte. Amém. Ave Maria, cheia de graça! O Senh... ...onvosco. Bendita sois vós entre as mulheres e Bendit...

MARIA NA VIDA DA HUMANIDADE: UM TESTEMUNHO

Na apresentação deste livro falei de um de meus pais espirituais: o servo de Deus, Padre José Kentenich. Quero agora, no final do livro, deixar o testemunho de sua vida totalmente consagrada a Maria Santíssima, como uma prova de que tudo o que foi escrito aqui sobre a Mãe de Deus, e mãe da humanidade, não tem nada a ver com teorias religiosas, devocionais ou mesmo piegas, mas é algo bem concreto, eficiente e atual.

Antes mesmo de nascer, o pequeno José já foi consagrado, por sua mãe, à Virgem Maria. Cresceu num ambiente religioso-mariano. Aos nove anos, sua mãe precisou levá-lo a um internato, construído pelo sacerdote que a orientava espiritualmente. Ao despedir-se do filho, diante de uma imagem de Nossa Senhora do Rosário, Catarina Kentenich consagrou seu menino a Maria. Nessa ocasião, num gesto de profunda confiança na Mãe de Jesus, Catarina colocou no pescoço da imagem uma correntinha de ouro, com uma cruz, que ela ganhara em sua primeira comunhão, e pediu: "Educa meu filho por mim. Realiza nele a missão de mãe!" Essa consagração, que entrou para a história como "a consagração dos nove anos", marcou decisivamente a vida de José Kentenich. Deu-se algo especial na alma do menino. Esse momento ficou envolvido por um véu de mistério. O próprio Pe. Kentenich prometeu revelá-lo um dia, mas não o fez. Levou-o consigo para a eternidade. Tudo indica que foi na verdade um momento especialíssimo na vida daquele menino e que ele o viveu conscientemente, entregando-se a Maria, como filho, no plano humano e sobrenatural. Mais tarde ele afirmou: "Tudo o que pude realizar, como fundador, estava naquele momento, como semente, dentro de mim". A partir daí, mais ainda, a vida de José Kentenich foi marcada por uma entrega total a Maria, mãe de Deus. Não é por nada que ele afirmava: "Maria é como se fosse uma segunda natureza em mim". A presença de Maria em sua vida foi decisiva como solução de uma problemática que o envolveu de maneira quase trágica: em sua infância e juventude, José teve a vida marcada por uma profunda solidão. Não tendo vínculos pessoais, cresceu em um certo desequilíbrio. Sentia-se desamparado, incompleto. A esse período de sua vida chamou "crise existencial". Essa crise espiritual teve consequências também físicas. José vivia doente, enfrentando especialmente problemas respiratórios. As coisas foram encaminhando-se de tal maneira que José chegou a um "ceticismo total" como testemunhou diante da verdade. Sua pergunta crucial era: existe ou não a verdade? Viveu mergulhado num exagerado intelectualismo, separando as ideias da vida. Tornou-se um individualista, vivendo também um forte sobrenaturalismo. Referindo-se a esse tempo, ele disse: "Vivi nessa ocasião, até suas raízes, todas as angústias do homem moderno". Agravou-se de tal maneira num período de seis anos essa situação, que o jovem José chegou a temer a própria loucura. Fraco no espírito e no corpo, não podia vislumbrar um futuro promissor. Nesse momento, de profunda tensão, ele se deu conta de que só havia um caminho a percorrer. Só existia uma tábua de salvação: entregar-se de maneira total, sem limites, a Maria Santíssima. A ela, ele disse: "Se quiseres que eu fique louco, aceito! Meu corpo está fraco, sem forças. Minha inteligência me vale de pouco, mas ainda tenho a luz da razão. Se quiseres tomá-la também, podes fazê-lo, é tua". Essa entrega sem reservas a Maria foi o divisor de águas para ele: "Foi a Mãe de Deus que me salvou!", afirmou ele. Maria humanizou-o. Seu intelectualismo virou realismo. De individualista, transformou-se em ser totalmente solidário. Por meio dessa entrega filial a Maria, saiu de um túnel, como pôde afirmar, e se encontrou com ele mesmo, com as pessoas e com sua missão de vida. Em Maria, encontrou seu ponto de equilíbrio, por isso a chamou "Balança do mundo".

Essa experiência vital tornou Pe. Kentenich um dos maiores apóstolos marianos de nosso tempo. Eis como ele caracterizou sua missão pessoal: "Assim como Deus escolheu São Paulo para anunciar o mistério de Cristo a todos os povos (Gl 1,15-16), também Deus escolheu a mim, desde o seio de minha mãe, para anunciar ao mundo e à Igreja de hoje o mistério de Maria, as glórias de Maria".

É do Pe. Kentenich esta frase: "Aquilo que herdastes de vossos antepassados, conquistai-o para possuir plenamente".

Maria é uma herança que herdamos de Deus e de nossos antepassados. Que este livro seja uma ajuda a quem o ler, na conquista dessa herança, para uma posse plena.

e Maria, cheia de graça! O Senhor é convosco. Bend
sois vós entre as mulheres e Bendito é o fruto do vo
ventre. Jesus. Santa Maria, Mãe de Deus, rogai p
s pecadores agora e na hora de nossa morte. Amém. A
aria, cheia de graça! O Senhor é convosco. Bendita s
s entre as mulheres e Bendito é o fruto do vosso vent
sus. Santa Maria, Mãe de Deus, rogai por nós pec
res agora e na hora de nossa morte. Amém. Ave Mar
ia de graça! O Senhor é convosco. Bendita sois vós e
 as mulheres e Bendito é o fruto do vosso ventre.
. Santa Maria, Mãe de Deus, rogai por nós pecador
ra e na hora de nossa morte. Amém. Ave Maria, che
graça! O Senhor é convosco. Bendita sois vós entre
lheres e Bendito é o fruto do vosso ventre. Jesus. San
aria, Mãe de Deus, rogai por nós pecadores agora e
a de nossa morte. Amém. Ave Maria, cheia de graça!
nhor é convosco. Bendita sois vós entre as mulheres
ndito é o fruto do vosso ventre. Jesus. Santa Mar
ãe de Deus, rogai por nós pecadores agora e na hora
sa morte. Amém. Ave Maria, cheia de graça! O Senh
onvosco. Bendita sois vós entre as mulheres e Bendit

CAMINHANDO PARA O FUTURO...

Nossa vida é dinâmica por si mesma. Deus, no ato criador, colocou em nossa existência o dinamismo de seu amor. Ele nos faz olhar confiante para o futuro e nos faz vislumbrar o horizonte e contemplar a imensa obra da criação.

Em seu amor dinâmico e complacente, o Pai escolheu Maria para realizar sua promessa de nos enviar o Messias, seu Filho e nosso Redentor. Chegada a plenitude dos tempos, sua voz ressoou na pequena e humilde Nazaré, em uma casa de igual semelhança e em um coração bem para além disso: o coração de Maria, que acolheu sem reservas ou condições a vontade divina. Os humildes e pequenos sabem compreender a hora de Deus e confundem os poderosos em todos os tempos. Bela Maria, Mãe do Belo Amor!

Somos tocados em nossa vida pelo amor maternal de Maria, que na verdade é a manifestação da ternura de Deus para conosco. Ela é nossa Mãe por excelência, e nela se realizou a promessa divina, a vinda de Jesus para nossa salvação.

Sim, veneramos Maria, não como uma deusa, mas como a Mulher pura e santa que em tudo cumpriu a vontade do Pai. Ela é nosso modelo de vida cristã, de discipulado, de compromisso com a verdade de Cristo.

Olhemos para o futuro sempre e deixemos que o amor dinâmico de Cristo dinamize nossa vida. Assim alcançaremos a paz.

Sejamos e amemos a Igreja de Cristo, nossa Comunidade, e deixemos que Maria seja nossa companheira inseparável. Ela intercede por nós, por nossa Comunidade, lá bem junto do Pai, do Filho e do Espírito Santo.

Rogai por nós, Santa Mãe de Deus, para que sejamos dignos das promessas de Cristo! Amém!

Pe. Antonio Maria
16 de julho, Festa de Nossa Senhora do Carmo

ÍNDICE

Apresentação 3

Primeira parte
MARIA, MÃE DE DEUS

1. Maria: Mãe de Cristo, Deus e Homem 9
2. Maria: cumprimento da promessa divina 13
3. Maria na esperança do povo de Israel 17
4. Maria e a hora da salvação 21
5. Maria: resposta ao plano divino
   da redenção 25
6. Maria: resposta da humanidade 29
7. Maria: continuadora do projeto do Pai 33
8. Maria: memória da história de
   Deus com seu povo 37
9. Maria e a fidelidade cristã 41

Segunda parte
MARIA, MÃE DA HUMANIDADE

10. Maria: Mãe consoladora 47
11. Maria: promotora da misericórdia 51
12. Maria: encontro com a caridade 55
13. Maria: caminho de esperança 59
14. Maria: força de perseverança cristã 63
15. Maria na vida de comunidade 67

Maria na vida da humanidade:
um testemunho 73
Caminhando para o futuro... 77